Produced by Community of Christ
1001 W. Walnut St.
Independence, MO 64050-3562

Herald Publishing House
P.O. Box 390
Independence, MO 64051-0390

Cover Art: Sue Cornelison

Book Design: Molly Cornelison

Editors: Mary Gill, Lynda Roberson, Diane Sadler, Mary Kay Speaks

WE SHARE

By | Por | Par *Monica Bradford*

NOSOTROS COMPARTIMOS

NOUS PARTAGEONS

Illustrated by | Ilustrado por | Illustré par *Sue Cornelison*

Hope
Esperanza
L'espoir

Love
Amor
L'amour

As Community of Christ we feel joy, we give hope, we share love, we seek peace. We share this... and so much more.

Joy
Gaza
Joie

Como Comunidad de Cristo sentimos gozo, damos esperanza, compartimos amor, buscamos la paz. Compartimos esto... y mucho más.

Peace
Paz
Paix

En tant que Communauté du Christ, nous ressentons la joie, nous donnons l'espoir, nous partageons l'amour, nous recherchons la paix. Nous partageons cela... et tellement plus encore.

We are part of God's vision for creation
where all live peaceably together.
This is who we are... this...
and so much more.

Somos parte de la visión de Dios para la creación
donde todos vivimos juntos pacíficamente.
Esto es lo que somos... esto...
y mucho más.

Nous faisons partie de la vision de Dieu
pour la création au sein de laquelle
tous vivent ensemble dans la paix.
Voilà qui nous sommes... cela...
et tellement plus encore.

We share the peace of Jesus Christ
in our words and in our actions everywhere.

Compartimos la paz de Jesucristo
en nuestras palabras y en nuestras
acciones en todo lugar.

Nous partageons la paix de Jésus-Christ partout, par nos paroles et nos actions.

We follow Jesus. Our mission is to live like him in community with others. This is who we are... this... and so much more.

Seguimos a Jesús. Nuestra misión es vivir como él en comunidad con otros. Esto es lo que somos... esto... y mucho más.

Nous suivons Jésus. Notre mission est de vivre comme lui dans une communauté avec d'autres. Voilà qui nous sommes... cela... et tellement plus encore.

We value the sacred story...
the story of people in relationship
with God.

Valoramos la historia sagrada...
la historia de la gente en relación
con Dios.

Nous apprécions l'histoire sacrée...
l'histoire d'un peuple en relation
avec Dieu.

We receive God's love and share that love with everyone. This is who we are... this... and so much more.

Recibimos el amor de Dios y compartimos ese amor con todos. Esto es lo que somos... esto... y mucho más.

Nous recevons l'amour de Dieu et le partageons avec tous. Voilà qui nous sommes... cela... et tellement plus encore.

We care for all that God has created
and is still creating.

Cuidamos de todo lo que
Dios ha creado
y sigue creando.

Nous prenons soin de tout ce que
Dieu a créé et est encore
en train de créer.

We listen for God every day.
This is who we are...
this... and so much more.

Estamos atentos a Dios todos
los días. Esto es lo que somos...
esto... y mucho más.

Nous écoutons Dieu tous les jours.

Voilà qui nous sommes...

cela... et tellement plus encore.

We value and love all people
just as God does.

Valoramos y amamos a toda la gente
del mismo modo que Dios lo hace.

Comme Dieu, nous valorisons et nous aimons toutes les personnes.

We all are given gifts from God. We use them to do good. This is who we are... this... and so much more.

A todos se nos dan dones de Dios.

Los utilizamos para hacer el bien.

Esto es lo que somos... esto... y mucho más.

Dieu nous a donnés des dons.

Nous les utilisons pour faire le bien.

Voilà qui nous sommes... cela...

et tellement plus encore.

We learn to make good choices...
decisions that make our world
a better place.

Aprendemos a tomar buenas elecciones...
decisiones que hacen de nuestro mundo
un mejor lugar.

Nous apprenons à faire de bons choix...
des décisions qui rendent notre
monde meilleur.

We are peacemakers. We work with God for shalom. This is who we are... this... and so much more.

Somos hacedores de paz. Trabajamos con Dios para el shalom. Esto es lo que somos... esto... y mucho más.

Nous sommes des faiseurs de paix. Nous travaillons avec Dieu pour le shalom. Voilà qui nous sommes... cela... et tellement plus encore.

We are different in many ways.
Together, this diversity

makes us stronger.

Somos diferentes de muchas maneras. Juntos, esta diversidad nos hace más fuertes.

Nous sommes différents de nombreuses manières. Ensemble, cette diversité nous rend plus fort.

We trust in and belong to one another
even if we have never met. This is who
we are... this... and so much more.

Confiamos y pertenecemos unos a otros
incluso si nunca nos hemos conocido.
Esto es lo que somos... esto...
y mucho más.

Nous nous faisons confiance et nous comptons les uns sur les autres même si nous ne nous sommes jamais rencontrés. Voilà qui nous sommes... cela... et tellement plus encore.

We share this...
and so much more.

Compartimos esto...
y mucho más.

Nous partageons cela...
et tellement plus encore.